CORAZÓN DE PRINCESA

La Princesa Tania está TRISTE

Escrito por Molly Martin

Ilustrado por Mélanie Florian

LATINBOOKS
International

Soy la princesa Tania Tiziana Luna.
Mi castillo es silencioso y sombrío.

¿Sabes por qué?

Porque estoy triste. Y la tristeza es un sentimiento silencioso y sombrío.

Hay muchas cosas que me ponen triste.

Sacarme notas bajas en la escuela.

Que mis amigas no quieran jugar conmigo.

Perder a las damas.

Estar enferma y que me duelan
la panza y la cabeza.

Hoy me siento triste porque mi mamá
y mi papá se fueron de vacaciones.

Cuando estoy triste
no quiero hablar
ni comer.

Tampoco quiero jugar.

Cuando estoy triste
quiero estar sola,
quiero hacer pucheros y llorar.

Y sé que está bien sentirse triste.
Una princesa de verdad no está
siempre feliz.

Pero una princesa de verdad
tampoco está siempre triste.

EL OSO TRISTE

El río que lloraba

LA PRINCESA FELIZ

Cuentos para sonreír

Sentirse triste es parte de crecer.
Hay muchas cosas tristes
en el mundo.

Pero también hay muchas cosas
alegres.

Cuando me siento triste intento recordar aquello que me pone feliz. Y le cuento a alguien cómo me siento.

Entonces, mi tristeza comienza a desaparecer.
Mi sonrisa regresa y todo se ve mejor.

Soy la princesa Tania Tiziana Luna,
y mi castillo es alegre y radiante.

¿Por qué?

¡Porque yo me siento alegre y radiante!